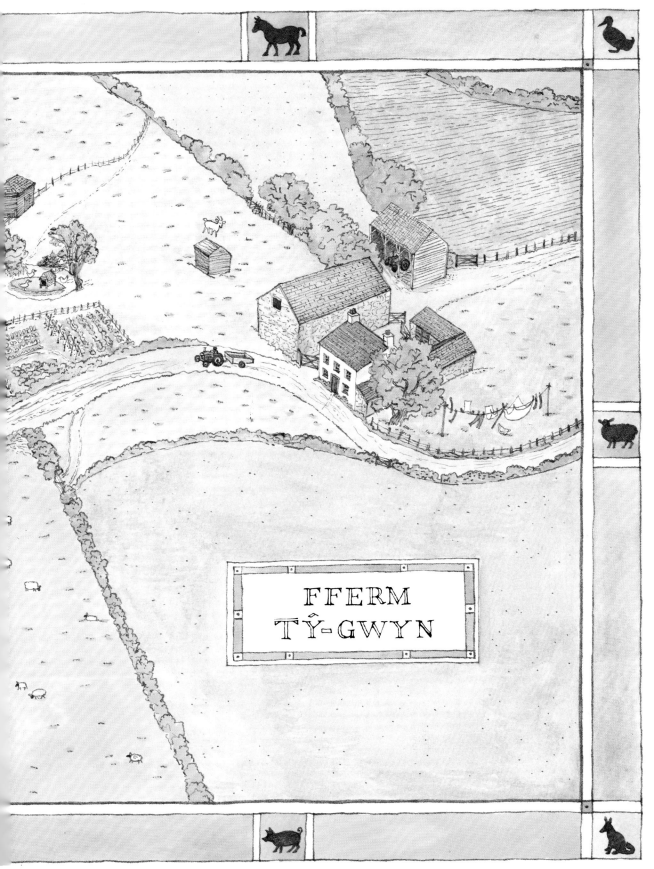

FFERM
TŶ-GWYN

© Frances Lincoln Cyf 1994
Testun a lluniau © Jill Dow 1994
Y cyhoeddiad Cymraeg © Gwasg y Dref Wen 1994

Teitl gwreiddiol *Maggie's Holiday*
Cyhoeddwyd gyntaf gan Frances Lincoln Cyf, Llundain, 1994.
Cyhoeddwyd yn Gymraeg gan Wasg y Dref Wen,
28 Ffordd yr Eglwys, Yr Eglwys Newydd, Caerdydd CF4 2EA
Ffôn 0222 617860

Argraffwyd yn yr Eidal.

FFERM TŶ - GWYN

CARTREF I TANWEN

Jill Dow

DREF WEN

Roedd Tanwen y ferlen yn hoff iawn o gwmni,
ac roedd hi wrth ei bodd yn byw gyda Mr
Gronw ym Mhen-cae, y fferm nesaf at Fferm
Tŷ-gwyn. Roedd Mr Gronw'n cadw nifer o
anifeiliaid eraill hefyd – gwartheg a defaid, tair
gafr, dau asyn, dwsin o ieir, a phum gŵydd wen.

    Roedd Tanwen a'r ddau asyn yn byw yn yr un
cae gyda'i gilydd, yn ymyl y buarth. Roedd
hwnnw'n lle prysur bob amser, a digon o bethau
difyr yn digwydd yno y gallai Tanwen eu
gwylio.

Roedd Tanwen
a Mr Gronw ill
dau'n hoff iawn
o blant, ac roedd
croeso mawr i Owen
bob tro y byddai'n dod
heibio o Fferm Tŷ-gwyn. Fel arfer byddai'n dod
â rhywbeth blasus i Tanwen, ac yn aml byddai'n
helpu i'w glanhau ac i garthu ei stabl.

Weithiau byddai Mr Gronw yn rhoi Tanwen yn y trap, ac i ffwrdd â'r tri am dro. Roedd Tanwen yn hoff iawn o drotian ar hyd heolydd bach y wlad, a'r gwynt yn chwythu trwy ei mwng.

Ond roedd Mr Gronw yn mynd yn rhy hen i ofalu am ei holl anifeiliaid. Yn gyntaf gwerthodd y geifr a'r ddau asyn, yna'r gwartheg a'r defaid. Gwerthodd yr ieir hefyd, ar wahân i Siân, oedd yn dodwy un wy brown i'w frecwast bob bore. A rhoddodd y pum gŵydd wen i fam Owen.

"Mi faswn i'n hoffi mynd â ti adre hefyd," meddai Owen, a mwytho trwyn Tanwen. "Ond mae digon o anifeiliaid gynnon ni yn barod, meddai Mam. A fydd Mr Gronw byth yn gadael i ti fynd, mae'n dy garu di gymaint."

Ychydig cyn y Nadolig, aeth Mr Gronw i weld ei frawd yn Awstralia. Gofynnodd i Owen ofalu am Tanwen a Siân nes iddo ddod adre. Felly bob bore byddai Owen yn galw heibio ar ei ffordd i'r ysgol, i'w bwydo a'u gadael allan i'r cae.

Roedd Tanwen am iddo aros gyda hi. Roedd hi'n colli Mr Gronw, ac roedd y cae yn wag heb y ddau asyn. Roedd y fferm mor dawel hefyd, heb na gwartheg na defaid yn brefu, heb geiliog yn canu na gwyddau'n hisian. Dim ond Siân oedd yn gwmni iddi nawr, ac ar hyd y dydd roedd Tanwen yn teimlo'n ddiflas ac yn unig.

O'r diwedd, ar ôl ysgol, byddai Owen yn dod.
Byddai'n bwydo Tanwen, ac yn carthu ei stabl.
Ond roedd rhaid iddo frysio adre cyn iddi nosi.

Roedd Tanwen yn falch pan ddaeth gwyliau'r
Nadolig. Nawr gallai Owen wario llawer mwy o
amser gyda hi!

Weithiau byddai mam Owen yn dod hefyd. Bydden nhw'n dodi'r cyfrwy ar gefn Tanwen, a byddai Owen yn mynd am reid arni.

"O Tanwen, oni fyddai'n braf taset ti'n gallu dod i fyw i Fferm Tŷ-gwyn!" meddai Owen yn hiraethus, wrth iddyn nhw garlamu dros y cae.

Un noson bu storm enbyd. Gorweddai Owen yn ei wely yn gwrando ar y gwynt yn llefain o gwmpas y simnai a'r bargod. Edrychodd allan, ond doedd dim i'w weld ond eira'n chwyrlio heibio. Roedd e'n ddiogel yn y ffermdy, roedd e'n gwybod hynny. Ond beth am Tanwen yn ei hen stabl simsan?

Roedd Tanwen hithau yn gwrando ar y storm. Siglai'r stabl dan rym y gwynt, a chwythai plu eira i mewn trwy dyllau yn y muriau. Yna taflwyd y drws ar agor gan chwythwm anferth, a chariwyd y to i ffwrdd â CHR-R-R-IP uchel!

Gostegodd y storm o'r diwedd, ond roedd
Tanwen druan yn crynu gan oerfel a braw.
Cysgododd mewn cornel tan y bore, yna
crwydrodd yn bendrist dros y cae. Daeth Siân
ati, gan droedio'n ysgafn ar wyneb yr eira.
Roedd y cwt ieir wedi colli ei do hefyd, ac roedd
yr iâr fach yn lwcus na chafodd hi ei chwythu i
ffwrdd.

Aeth y ddau gyda'i gilydd at glwyd y cae, gan
obeithio y byddai Owen yn dod yn fuan . . .

Ond roedd Owen yn dal yn Fferm Tŷ-gwyn. Roedd yr eira mor drwchus, yr unig ffordd y gallai ddod at Tanwen oedd ar y tractor gyda'i dad.

Ond yn gyntaf, roedd yn rhaid palu'r tractor allan o luwchfa eira!

O'r diwedd clywodd Tanwen a Siân dractor Mr
Gethin yn dringo'r allt. Gweryrodd Tanwen yn
hapus pan welodd hi Owen yn disgyn o'r tractor
ac yn camu tuag ati trwy'r trwch o eira.

Gwthiodd y ferlen ei thrwyn oer i boced Owen i
weld beth oedd ganddo iddi.

"Paid â phoeni," meddai Owen. "'Dan ni'n
mynd â ti'n syth 'nôl i Fferm Tŷ-gwyn cyn i
storm arall gychwyn!"

Dododd Mr Gethin Siân mewn hen flwch oedd
ganddo yn y tractor. Cerddodd Owen ar ôl y
tractor, gan arwain Tanwen yn y llwybr a wnaed
gan yr olwynion. Doedd Tanwen ddim yn
gwybod i ble roedd hi'n mynd, ond gwyddai ei
bod hi'n ddiogel gydag Owen.

Dechreuodd hi fwrw eira eto cyn iddyn nhw
fynd yn bell. Rhuai'r gwynt, a chwythai eira i'w
llygaid. Roedd y ffordd i Fferm Tŷ-gwyn i'w
gweld yn hir, hir. Ond cyrhaeddon nhw o'r
diwedd, a maes o law roedd Tanwen a Siân yn
gorffwys yn y sgubor glyd.

Trannoeth oedd dydd Nadolig. Rhoddodd Owen
afal mawr coch i Tanwen, ac aeth â hi am dro i
weld Fferm Tŷ-gwyn. Roedd Tanwen yn falch
iawn i weld gwyddau Mr Gronw unwaith eto, ac
i gwrdd ag asynnod newydd.

Trwy'r wythnos bu'r haul yn tywynnu'n braf, er ei bod hi'n rhewi, a chafodd Tanwen ddigon o hwyl gydag Owen yn yr eira. Rhedodd hi o gwmpas y cae, a gwylio Owen yn suo i lawr yr allt ar ei sled newydd. Roedd yr eira'n ddwfn ac yn feddal, a doedd dim ots os oedd e'n cwympo o'r sled.

Ond nos Sadwrn dechreuodd hi fwrw glaw. Erbyn bore Sul roedd yr eira wedi dadmer, a'r caeau i gyd yn wlyb ac yn lleidiog. Hwn oedd diwrnod olaf y gwyliau, ac roedd Owen yn teimlo'n ddigalon. Aeth i weld Tanwen, a'i brwsio a'i chribo nes bod ei chot yn disgleirio.

"O Tanwen," meddai, "dw i'n mynd i dy golli di'n ofnadwy pan ddaw Mr Gronw yn ôl!"

Ar hynny dyma Mr Gethin yn nrws y stabl. "Wyddost ti beth, Owen? Mae llythyr newydd ddod oddi wrth Mr Gronw. Mae e'n hoffi Awstralia gymaint, mae wedi penderfynu aros yno. A beth wyt ti'n meddwl mae fe am inni'i wneud efo Tanwen?"

"Nid ei chadw hi . . . ?" sibrydodd Owen.

"Dyna fe iti!"

"Allwn ni, Dad? Allwn ni?"

"Wel gallwn, am wn i," meddai Mr Gethin â gwên. "Ond iti addo helpu gofalu amdani hi."

Allai Owen ddim meddwl am ddim byd y byddai'n ei hoffi'n fwy. Ac allai Tanwen ddim chwaith!

– Diwedd –